✿ 绘声绘色精选图画书

正义之士②

奇幻超人

[日]宫西达也 / 著　米雅 / 译

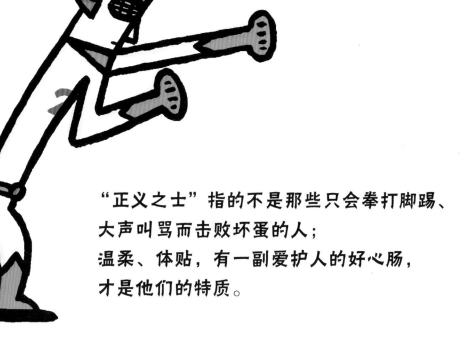

"正义之士"指的不是那些只会拳打脚踢、
大声叫骂而击败坏蛋的人；
温柔、体贴，有一副爱护人的好心肠，
才是他们的特质。

青岛出版社
QINGDAO PUBLISHING HOUSE

著者 **宫西达也**

　　1956 年生于日本静冈县，毕业于日本大学艺术学部美术学科，从事人偶剧的舞台美术、平面设计工作后，开始创作绘本。作品以温馨诙谐的故事和有力度的画风独树一帜，曾获得讲谈社出版文化奖绘本奖、剑渊绘本乡绘本奖等奖项。代表作品有《正义之士》《我是霸王龙》《野狼瘪肚子》《永远永远爱你》《小猪，别哭了》等。

译者 **米雅**

　　插画家、日文童书译者。毕业于日本大阪教育大学教育学研究科。作品包括《你喜欢诗吗？》《宝宝，你爱我吗？》《在微笑的森林里吹风》等。

图书在版编目（CIP）数据

　　正义之士 . 2，奇幻超人 /（日）宫西达也著；米雅译 . — 青岛：青岛出版社，2018.10

　　（绘声绘色精选图画书）

　　ISBN 978-7-5552-7525-1

　　Ⅰ . ①正… Ⅱ . ①宫… ②米… Ⅲ . ①儿童故事 – 图画故事 – 日本 – 现代 Ⅳ . ① I313.85

　　中国版本图书馆 CIP 数据核字 (2018) 第 185716 号

Seigi no Mikata Wonderman no maki
© Tatsuya Miyanishi / Gakken.
First published in Japan 2012 by GAKKEN Education Publishing Co., Ltd., Tokyo.
Simplified Chinese translation rights arranged with Gakken Plus Co., Ltd.
through Future View Technology Ltd.
山东省版权局著作权合同登记号　图字：15-2017-274 号
本书译文由远足文化事业股份有限公司·小熊出版授权使用。

书　　名	**正义之士 2：奇幻超人**
丛 书 名	绘声绘色精选图画书
著　　者	[日]宫西达也
译　　者	米　雅
出版发行	青岛出版社
社　　址	青岛市海尔路 182 号（266061）
本社网址	http://www.qdpub.com
团购电话	18661937021　0532-68068797
策划编辑	谢　蔚　刘怀莲
责任编辑	刘怀莲
装帧设计	稲　田
印　　刷	青岛名扬数码印刷有限责任公司
出版日期	2018 年 10 月第 1 版　2020 年 3 月第 14 次印刷
开　　本	16 开（889mm×1194mm）
印　　张	2.5
字　　数	50 千
书　　号	ISBN 978-7-5552-7525-1
定　　价	18.00 元

编校印装质量、盗版监督服务电话　4006532017　0532-68068638

正义之士住在某个星球上。

有一天，这个星球来了一个
古里古怪的大嗓门鱿鱼星人。

亲了他一下。♡

"听好啊，已经很晚了，
你不能再这样大声地唱歌了。
赶快回你的星球去吧！
晚安！"
正义之士奇幻超人 2 号
非常温柔地说。

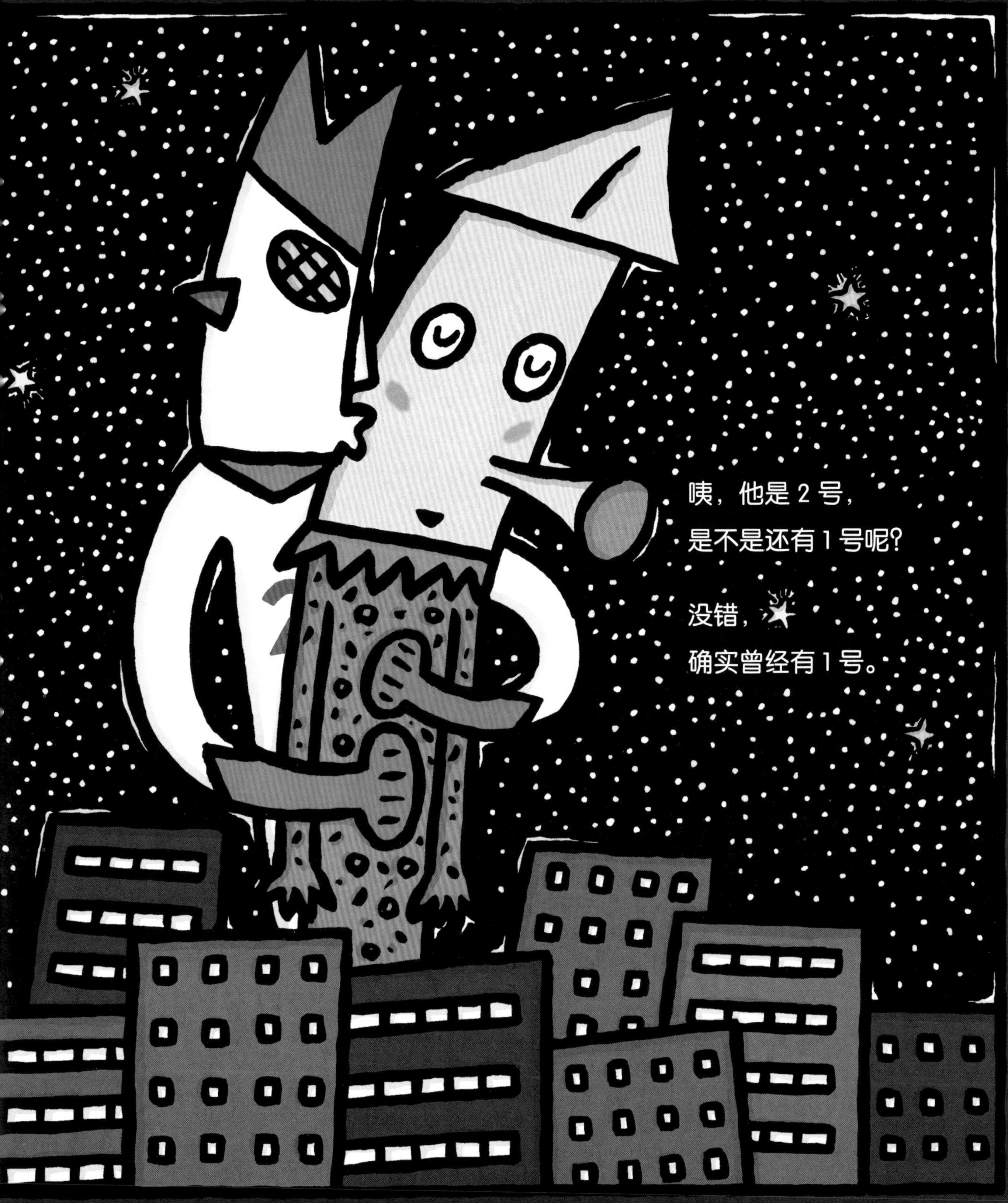

咦，他是 2 号，

是不是还有 1 号呢？

没错，

确实曾经有 1 号。

那是很久以前发生的事。

"七彩、七彩、七彩……我是七彩星人！
让我来把这个星球变得更加美丽。"
七彩星人说完，从鼻孔喷出黄色油漆，
洒得满街都是。

"七彩、七彩、七彩……
接着换粉红色油漆喽!
看我把这里全都变成
粉红色!"
突然——

"奇幻腿——"

"七彩、七彩、七彩……"

七彩星人招架不住，被一脚踢开。

"你、你是谁？" 七彩星人问。

"我是奇幻超人 2 号，另一位是我的哥哥奇幻超人 1 号。
你这个坏蛋，让我用奇幻光波收拾你！"

话一说完，奇幻超人 2 号就准备发射奇幻光波。

"我知道了，
下次不敢了。"
七彩星人说完就逃走了。

围观的人们都欢呼着：
"厉害啊，奇幻超人2号！"
"好棒啊，奇幻超人2号！"

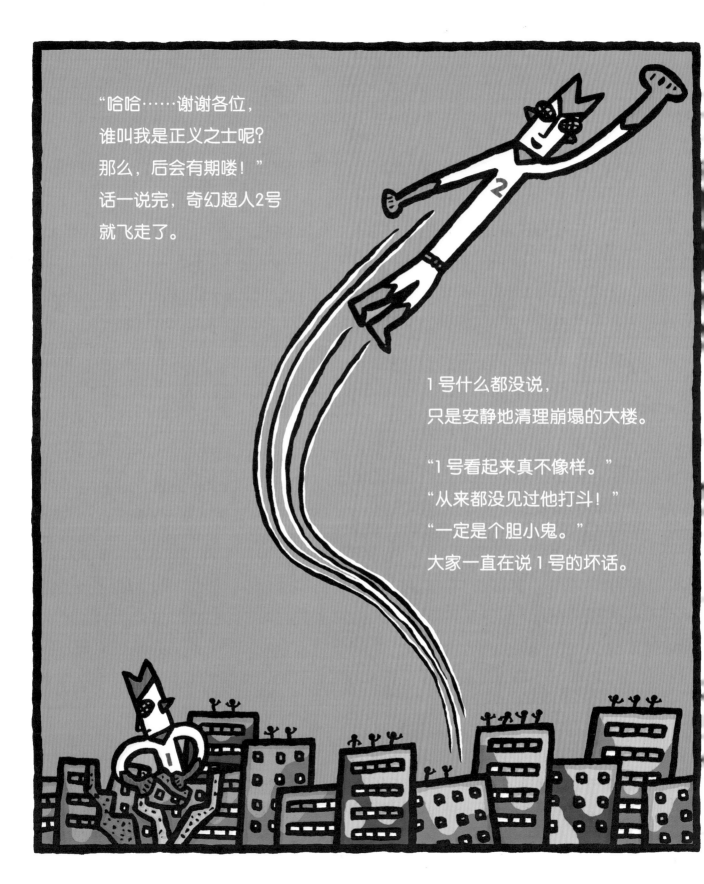

"哈哈……谢谢各位，
谁叫我是正义之士呢？
那么，后会有期喽！"
话一说完，奇幻超人2号
就飞走了。

1号什么都没说，
只是安静地清理崩塌的大楼。

"1号看起来真不像样。"
"从来都没见过他打斗！"
"一定是个胆小鬼。"
大家一直在说1号的坏话。

奇幻超人1号就跟在后面清理毁坏的建筑物和断裂的树木。

2号很不以为然，他说："你在做什么？坏蛋都被打败了，你却要留在这里打扫，这样有失我们正义之士的身份，快走吧！"

不管2号说什么，1号还是留下来善后。

而且，他还会帮助那些被 2 号打败的怪兽——
为他们检查伤势，甚至背他们回家。
"没有人故意成为坏蛋，
你一定有什么原因吧？"
1 号背着怪兽，
摇摇晃晃的，
走也走不稳。

看见 1 号那副模样，
星球上的人说：
"真是没个样子！"
他们越来越看不起 1 号。

有一天，
为了替好朋友怪兽猪吉拉报仇，
怪兽犀虎来找奇幻超人 2 号决斗。

"我要让你见识一下我的尖角的厉害！"
犀虎一边说，一边扑向 2 号。
可是——

哔哔哔哔……
"住手！"
为了保护犀虎，
1号竟然用自己的身体去抵挡光波。

"啊——"
然后……

1号一个倒栽葱，
往山谷掉下去。

2 号立刻冲过去
拯救 1 号。

可是，一直紧抓着 1 号，
他根本飞不起来。
"呜……"
这样下去，
两个人会一起掉下去的。
"完、完蛋了……"
2 号绝望地说。
没想到——

"抓好啊!"
及时伸出援手的竟然是猪吉拉。
"你、你为什么要救我?"
"我才不是要救你,
我是要救奇幻超人1号先生!"
猪吉拉一边说,
一边用力将他们往上拉。

可是,只凭他的力气
还是拉不上来。
这时——

"我也来帮忙！"
原来，连七彩星人也跑来救援了。
"你、你也是来救
奇幻超人1号的吗？"
"那当然！"
猪吉拉和七彩星人一起用力拉。
突然——

他们三个拼命地往上拉。
但是他们都曾被2号
拳打脚踢，
所以身上伤痕累累，
力气实在不够。
2号很小声地对他们说：
"我太对不起你们了。
请你们放手吧，谢谢……"
没想到——

"来啊，大家一起来救
奇幻超人1号先生吧！"
1号帮助过的怪兽和外星人们
全都赶来救援了。
就这样——

在大家的帮助下，
他们终于化险为夷。
2 号抱着全身瘫软的 1 号，说：
"你、你为什么要来挡光波呢？"
"2 号……因为我希望你能成为
真、真正的正义之士啊……"
话一说完，1 号就静静地闭上了眼睛，
再也没有睁开。
大家都号啕大哭。
"呜呜……"